밀짚모자 일당

쵸파에몬 【 닌자 】
토니토니 쵸파

'새의 왕국'에서 '강한 약 연구에 몰두하다,
재합류에 성공.

[선의 현상금 100베리]

루피타로 【 낭인 】
몽키·D·루피

해적왕을 꿈꾸는 청년. 2년의 수련을 거치고,
동료와 합류. 신세계로 향한다.

[선장 현상금 15억베리]

오로비 【 게이샤 】
니코 로빈

혁명군 리더이자 루피의 아버지 드래곤이
있는 바르티고를 거쳐 합류.

[고고학자 현상금 1억 3000만베리]

조로주로 【 낭인 】
롤로노아 조로

어두우르가나 섬에서 자존심을 버리고 미호크
에게 검의 가르침을 간청. 이후 합류에 성공.

[전투원 현상금 3억 2000만베리]

프라노스케 【 목수 】
프랑키

'미래국 벌지모어에서 자신의 몸을 더욱 개조,
'아머드 프랑키'가 되어 합류.

[조선공 현상금 9400만베리]

오나미 【 여닌자 】
나미

기후를 분석하는 나라, 작은 하늘섬
'웨더리아'에서 신세계의 기후를 배워 합류.

[항해사 현상금 6600만베리]

본키치 【 유령 】
브룩

수장족에게 잡혀 구경거리가 되었으나, 대스타
'소울킹 브룩으로 출세해 합류.

[음악가 현상금 8300만베리]

우소하치 【두꺼비 기름 장수】
우솝

보인 열도에서, '저격의 제왕이 되기 위해
헤라크레스의 가르침을 받고 합류.

[저격수 현상금 2억베리]

바다의 협객 징베
【 전(前) 왕의 부하 칠무해 】

인어를 관찰하는 사나이. 빅 맘과의 격전 당시
루피를 도주시키기 위해 최후미를 맡았고,
습격 전에 합류.

[조타수 현상금 4억 3800만 베리]

상고로 【 소바장수 】
상디

뉴하프만 왕국에서 뉴커머 권법의 고수들과
대전, 한층 더 성장하여 합류.

[요리사 현상금 3억 3000만 베리]

Shanks
샹크스

'사황 중 한 사람. '위대한 항로 후반
'신세계에서 루피를 기다린다.

[빨간 머리 해적단 선장]

와노쿠니 (코즈키 가문)

아카자야 아홉 남자

코즈키 모모노스케
[와노쿠니 쿠리 다이묘 (후계자)]

여우불 킨에몬
[와노쿠니의 사무라이]

덴지로
[전(前) 환전상 쿄시로]

안개의 라이조
[와노쿠니의 닌자]

키쿠노죠
[와노쿠니의 사무라이]

아슈라 동자 (슈텐마루)
[아타마야마 도적단 두령]

카와마츠
[와노쿠니의 사무라이]

이누아라시 공작
[모코모 공국 낮의 왕]

네코마무시 나리
[모코모 공국 밤의 왕]

소낙비 칸주로
[와노쿠니의 사무라이]

코즈키 히요리 (코무라사키)
[모모노스케의 여동생]

시노부
[베테랑 여닌자]

꽃의 효고로
[야쿠자 대두목]

트라팔가 로
[하트 해적단 선장]

캐럿 (토끼 밍크)
[전수민족 왕의 새]

이조
[전(前) 흰 수염 해적단 16번대 대장]

불사조 마르코
[전(前) 흰 수염 해적단 1번대 대장]

코즈키 오뎅
[와노쿠니 쇼군 후계]

키드 해적단

유스타스 키드
[키드 해적단 선장]

킬러 (살인귀 카마조)
[키드 해적단 전투원]

백수 해적단

'대간판'

화재(火災)의 킹

역재(疫災)의 퀸

가뭄해 잭

백수의 카이도
【 사황 】

수차례 고문과 사형을 당하고도 아무도 그를 죽일 수 없어, '최강의 생물로 불리는 해적.

[백수 해적단 선장]

'토비롯포'

페이지원

울티

사사키

X(디에스)드레이크

블랙마리아

후즈 후

'신우치'

바질 호킨스

홀뎀

바바누키

다이후고

솔리티아

스크래치멘 아푸

[온에어 해적단 선장]

스피드

도봉

바오황

야마토[자칭 : 코즈키 오덴]

[카이도의 딸]

해 아카자야 사무라이들끼리 오니가시마로 가고자 하지만 여기서 칸주로의 배신이 발각된다!! 낙담하는 아카자야 측 앞에 화를 면한 루피 행이 나타나 희망의 빛이 드리우나, 칸주로는 모모노스케를 납치해 오로치 곁으로, 그들을 쫓아 기습하기로 한 일행은 강력한 동료를 더해 니가시마로 돌입!! 섬 안에서 사황의 부하들이 가로막아서며 고전하는 와중, 카이도의 딸·야마토가 루피의 앞에 나타나는데…?!

빅 맘 해적단

빅 맘
샬롯 링링
【 사황 】

'사황 중 한 사람. 통칭 빅 맘.
수명을 뽑아내는 '소울소울 열매 능력자.

[빅 맘 해적단 선장]

C·페로스페로
[샬롯 가 장남]

C·다이후쿠
[샬롯 가 3남]

C·스무디
[샬롯 가 14녀]

C·가렛
[샬롯 가 18녀]

C·몽도르
[샬롯 가 19남]

C·플랑페
[샬롯 가 36녀]

와노쿠니 (쿠로즈미 가문)

쿠로즈미 오로치

이도와 손을 잡고 와노쿠니를 지배. 코즈키
가문에 원한이 있으며 교활하게 군다.

[와노쿠니 쇼군]

후쿠로쿠쥬
[오로치 오니와반슈 대장]

쿠로즈미 칸주로
[오로치 측 스파이]

오로치 오니와반슈
[와노쿠니 쇼군 직속 닌자 부대]

Story · 줄거리 ·

2년의 수행을 거치고, 샤본디 제도에서 재집결에 성공한 밀짚모자 일당. 그들은 어인섬을 거쳐 마침내 최후의 바다, '신세계'에 이른다!! 루피 일행은 모모노스케 측과 동맹을 맺고, '사황 카이도 격파'를 위해 와노쿠니에 상륙. 온갖 위기를 뛰어넘으며 동지를 모아 습격 당일을 맞이하나, 루피 일행은 오로치의 책략에 빠져 약속 장소에 나타나지 못하고⋯. 그럼에도 죽은 오뎅의 원통함을 풀기

ONE PIECE
vol. 98
'충신 킨'

CONTENTS

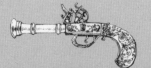

ONE PIECE vol.98

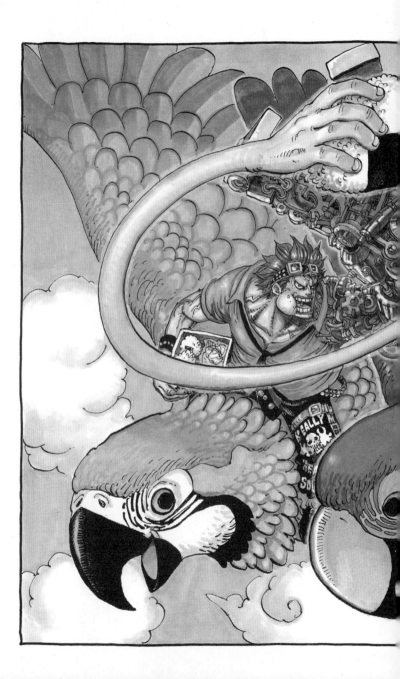

뒷문

오니가시마

끼이익—…

!!

반드시

우워— 진짜 있네!!

껄껄.

올 줄 알았다……

까하하하.

게헤헤헤…!!

너희의 끈질김은 내가 누구보다도 잘 아니까!!!

너희가 오지 않을 리 없다 싶었지…!!

사무라이들의 침입 흔적은 분명 발견하지 못했지만

뭐?!

벗겨줄까, 그거?

너 말이야!! 진짜 우리랑 같이 싸우고 싶은 거야?!

──하지만 만에 하나를 생각하면… 오금이 저려……!!

내 부모는 그 인간이니까!!

어릴 적부터 대체 얼마나 그 인간에게 얻어터졌는지,

내가 그러고 싶을 정도야!!

덤빌 때마다 되레 당하고 말았지.

난 네 눈앞이어도 카이도를 날려버릴 건데?!

?!

'흰 수염'의 정상전쟁으로부터 2년!!

아니, 벗기다니. 나 20년이나 이거에 자유를 빼앗겨서………

알았어. 벗겨줄게!!

우오──. 라이브 플로어 영상이다!!

와아아아아아!!

D (독자) : 오다 선생님! 저런 곳에 UFO가!! SBS를 시작합니다.

　　　　　　　　　　　P.N. 히그마에게 인정받은 남자

O (오다) : 뭐야 그거—!! 그 초등학생 같은 짓 뭐냐구—!! 속았잖아!!

　　　　　젠장—!! 아, 11살... 초등학생 맞네....

D : 오다 쌤, 안녕하세요! 우리 엄마는
온종일 방귀 뀌어대기 일쑤인데요,
혹시 '뿡뿡 열매' 능력자인 걸까요.

　　　　　　　　P.N. 하타

O : 아뇨, 내장이 건강하실 뿐이라고 생각합니다.

　　네, 다음 질문받을게요.

D : 오다 쌤! 안녕하세요! 우리 할머니 말에 따르면, 야마토의 생일은
11월 3일이래요. 맞나요?　　　　　　　　P.N. 하타

O : 것 보렴, 11월 3일이잖니.

D : 로가 매실장아찌를 먹을 때 표정을 부탁드려요!

O :

 ←그리기 쉬움

D : 키드와 킬러의 첫사랑 상대 '실튼 도르야나이카' 양,
무척, 무〰〰척 궁금해요! 얼굴 생김새가 어떤 걸까요?
분명 귀여운 아이겠죠?!　　　　　　　　P.N. 오니마루

O :

제 986 화
'소인의 이름'

'갱' 벳지의 오 마이 패밀리 Vol.31 '해군과 아버지라고 주장하는 이상한 남자로부터 도주!!'

시노부만 들키지 않으면 어떻게든!!

예이, 마마!!

그것들은 잡아두려무나.

마~~~마마 마마마하하하. 전력이 깔끔해졌군.

어서 모모를!!

으악.

이거 놔!!

무찔러야 할 것은 20년 전부터 카이도 뿐이었다는 걸!!

오뎅 님은 알고 계셨어......!! 오로치를 무찌른들 아무것도 변하지 않아!!

미안해, 오나미. 먼저 갈게!!

샤샥!

오늘이 '마지막 밤'인 줄도 모른 채 왁자지껄 놀고 있겠지.

'꽃의 도읍'의 어리석은 백성들은

왁하하 하하 하핫

이로써 지금 '와노쿠니'에는 쇼군도!! 그를 섬기는 사무라이들도 존재치 않게 되었다!!

워로로로, 어이 애송이!!

파들

파들

......

소인의… 이름……!!

팔랑

팔랑

까하하하

재밌는걸. 이름 말해봐라, 꼬마.

와

거짓말 한마디면 목숨 건지겠군, 저 꼬맹이.

카이도 님도 참 상냥하시지!!

와하하하하하.

와하하하하하하

벗기기만 하면 되지?!

그럼 이거 벗긴다?!! 약속했으니까.

처겅

아마 폭발하지는 않을 것 같지만.

아니……!! 만약을 위해!! 일단!! 멀찍이 던져줘!!

그래, 가신들 다 살아있어.

진짜 '코즈키 모모노스케'야 ?!!

어?!! 그럼 저 애…

뭐어— —?!!!

두구웅!!!

와

풀렸다!!

싸악!!

콰직

까

왁

후우—.

야마토.

야마토와 '밀짚모자 루피'가 플로어 쪽으로!!

용서 못 해!!

라이브 플로어랬지?

우솝, 주변이 위험해!!

거인일까 …?

프랑키 장군의 튼튼함을 믿어!!!

모모가 죽어!!

너도 들었잖아, 방금 그 방송!!

우솝, 이쪽 아니야!!

당장 연락… 꾸엑!!!

침입자 놈들…!!

해적왕이 될 남자다!!

나는 언젠가

너는 언젠가 이 나라를

짊어지고 일어설 남자…

……
…!!

왁

왁

39

'모모'는…

……응? 네 이름의 유래 말이냐?

……!!
소인의 이름은!!!

'천하무적'을 가리키는 말!!

!!

……
…

와노쿠니의 '쇼군'이

될 남자다!!!

코즈키 모모노스케!!!

뜨와핫핫핫.

으에~엥.

…….

으와아 아앙!!!

으~엥.

허?

죽고 싶지 않다…!! 울고 싶지 않다…!! 무사가

남 앞에서 울다니 창피해.

히요리…. 한번 보고 싶었다.

……

아버님… 어머님…. 소인, 그쪽으로 가서도

두 분께 고개를 들 수 있는 사내이고 싶었사옵니다.

으에~엥.

으아악~
~~~!!!

날 죽일
작정이었어!!!

소뿔
고릴라
자식~~!!

제기랄,
그…

잠깐,
야망이!!

그 자식은
이제 부모고
나발이고
뭣도
아니야!!!

잘
알았어!!

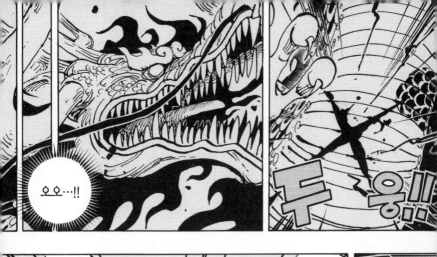

오오…!!

뚜옹!!!

개국하라!!!

'와노쿠니'를

피리

잉!!

쿠오오...

너는 입에서 입으로 전해지겠지.

얕보지 마라!!!

………내 사무라이들을

'코즈키'라는 이름을 말소해라!!

쫓아라!!

질 거란 걸 알면 너희를 버리고 도망치겠지.

──하지만 해적은 배신한다.

!!

'드레스로자'.

루피 공은 너희와는 다르다!!

그건 그에 대한 모욕이외다!!

'밀짚모자 루피'는 한번 그 콧대를 꺾어뒀으니까!!

!

.........해적과 손을 잡을 줄이야.

'와노쿠니'에 반드시 '새벽'은 온다!!

그는 언젠가 이 바다의 정점에 설 남자!!!

그것이 주군과의 약속인 바!!!

소인들이 모두 죽을지언정 그는 존재해!!!

삐그

워로로 로로!!

루피 공!!!

킨에몬!! 나중에 따라갈게!!

고맙소이다!!!

너가라가 용의 모습이 되면 돔 안에선 싸우지 못하리라 짐작했지……!!

그날과 다른 것은 또 있다!!!

밍크족…!!

우리 왕국의 전사들을 데리고 왔다.

※쾌청한데 멀리서 내린 눈이 바람을 타고 흩날리는 현상.

※'풍화(風花)'.

눈은

잘 보이는 기래!!!

'보름달'이

D : 오다 선생님, 안녕하세요!! 오전에 1살인 여동생에게
　　'패왕색 패기'를 썼더니 웃음을 짓더라구요.
　　어째서 그런 걸까요?　　　　　　P.N. 웃치

O : 여동생이 바로, 왕의 자질을 가진
　　사람이기 때문입니다.

D : 오다 쌤〜〜!!! 제997화에서
　　징베를 나미가 껴안은 후의 장면에서,
　　상디가 손수건을 쥐고선 '크윽' 하고
　　억울해하는 모습을 발견했어요!!
　　　　　　P.N. 칠석날에 오다 쌤을
　　　　　　　　만나고 싶다고 쓴 순수한 중학생

O : 이야ー. 이거 대단한데요? 용케 발견했군요ー.
　　알 수가 없을 정도인데 말이죠(➡)
　　이런 상디가 숨겨져 있습니다. 훌륭해요〜.

D : 루피 기어 4가 없으니까
　　기어 5도 등장할까요?!

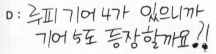

from Y·소세이 군

O : 네. 글씨에 기합이 느껴져서 고스란히 게재했습니다. 등장할까요? '5 (파이브)'!
　　지금 당장 쓰러뜨려야 하는 적은, 실질적인 세계 최강으로 불리는 남자.
　　세상도 '4G'에서 '5G'의 시대가 되었으니까요. 'G'가 아마 기어죠?

D : 978화에서 '기녀 말투'로 떠드는 울티에게
　　페이지원이 '또 이상한 붐이야?!'라고 말하던데,
　　예전에는 어떤 붐이 있었나요?

O : 네. 음ー. '하나이다'입니다. 좀 더 전에는
　　'페찡아, 나 불쌍하나이다 〜〜!!'라고 했더라죠.
　　지금은 '기녀 말투'가 마음에 드나 보네요.

제 988 화
'많이 기다렸지'

'갱' 벳지의 오 마이 패밀리 Vol.32 '해군의 포격 속, 그래도 나능 '아버지거등'!!'

카이도를
대비하십시오.

나리들은……

아니,
아직

……
너냐….

공작님도요!!

나기기긱!!

덤벼라!! 이쪽도
'백수'다아~~~~~~!!!

꿀릴 거
없다.

NUMBERS
난기

'스론'의
수명은
짧아......!!

투콰아아..앙!!

우오오오오오오오!!

우오오~
~~~!!!

이 녀석한테 쫓기다간 적을 늘리는 꼴이 돼!!

제기랄!! 위로 가고 싶은데!!

으악!!

도망쳤군….

……

……

하〜〜〜 하하하……!!

와라, 제우스!!

?

조ㅡ…ㅡ… 용

……

?!!!!

79

들켰다!!

제우스?!

카이도와 어깨를 견주는 해적 선장이라나 봐…!!

무리, 무리, 무리야, 나미. 살해당한다구!!

헉ㅡㅡ?! 그럼… 카이도가 2인분?!!

O : 네, 아이고 실수! 어떤 독자분의 엽서(편지?)를 잃어버리고 말았어요ㅡ.
미안해요ㅡ. 하지만 내용은 기억하니까 괜찮아요. P.N.EEYAN 군'이란 사람이고
YouTube 하니까 봐줘! 라는 요청이었는데 말이죠.
보니까 피겨 제작 영상!
어라? 이 피겨 본 적 있는데? 라는 생각이 들더니만,
이번 우솝 갤러리에서 먼저 골랐던
피겨를 만든 장본인이지 뭡니까ㅡ.
독자 중에 YouTuber가 나온다는 것도 재미있구요ㅡ!
'EEYAN'이라고 검색해보시길 바랍니다. 힘내세요!!
아, 사나닷치랑 컬래버레이션 했다고도 쓰여 있던데,
그건 안 봐도 괜찮아요!

D : 혼욕에 대해 조사해봤는데요,
옛날에도 젊은 여성이 들어오면,
오다 쌤 같은 변태 자식이
가까이 오니까, 그럴 때 할머니나
아줌마들이 지켜줬다고 해요.
진짜 변태 자식은 답이 없어요!
아, 저는 목욕탕에 살기로 했습니다.
　　　　　　　　　　P.N. 사나닷치

O : 엇, 잠깐 할머니!
방해되잖아요! 거기 좀 비켜주시지 참!
보고 싶은 게 안 보이잖아!! 그런 문화는 반대합니다만!!
아얏!! 쌍방울 뭉개기 하지 좀 마요!! 아펏!! 그만... 그만해...!!
SBS의...!! 풍기를 망치지 마! 사나다ㅡ!
또 나타나다니!! 아줌마들, 저 자식 쌍방울 뭉개버려요!! 아펏!!
나 말고!! 사나다ㅡ...!!
네, 혼욕이라는 소리에 상스러운 걸 생각한 여러분.
옛날일지라도, 다들 부끄러움이 있고
젊은 여성은 잘 보호받았다는 일본 문화의 이야기였습니다!

제 989 화
'질 것 같지가 않아'

그럼 난 킨에몬한테!!

다행이다. 역시 프랑키!!

빅 맘이 성낼 거야! 도망쳐어~~~!!!

믿어도 돼!!

루피타로!!

야, 시노부!! 저 녀석 같은 편이야!!

나미, 괜찮아~~~?!

85

나는 오뎅!! 널 지킬 거야!!

코즈키 모모노스케!!

얍!!

'연둔술'!!

기다려!! 왜 도망치는 건데?!!

으앗!!

'밀짚모자 일당'…!!

ㅋㅋㅋㅋㅋ

줄줄이 나타나는군……

꺄악, 빅 맘이 날뛴다——!!

그놈들의 목을 치러 가자!! 못 당해도 발목을 잡아둘 순 있어.

덴지로에게 들은 '토비롯포'라는 공룡들,

이놈의 쪽수 차이는 끝이 없구만, 하아… 하아….

확실히 이 주변 주정뱅이는 시간 낭비!!

휘말린다——!!

멀리 도망쳐!!

가는 건
어림없겠는데!!

하늘이 완전
철통이었네!!

으와아
아악~~!!!

1인승인 거
납득
안 돼——!!

그렇지만
멋있어~~!!

'검은 코뿔소'
스탠바이!!

떨컥……!!

천 커덕!!

'브라키오 헤드'
체인지!!

위~잉

천커덕!!

쿠우우웅!

'쟈키'가
당했어
——!!

전장……
짜증 날 만큼
튼튼한 슈트군.

……모모는……
잘 도망쳤나…?

벌떡……

97

그런데
어째서일까.
질 것 같지가
않아!!!

주위는
적투성이
……!!

밀짚모자
형씨도
떨어지던데!!

우리의
미끼가 돼줬던
쵸파 사령관이
방금 떨어졌다!!

(도쿄도 · 익명 희망 씨)

D : 해군에는 대장, 중장,
대령 등이 있습니다만,
가장 높은 사람은 원수겠지만,
어떤 순서로 높은 건가요?
P.N. 'H.U'

O : 네. 그리고 보면 이걸 두고 새로워진 해군으로 설명한 적이
없었던 걸지도 모르겠네요. 계급과 함께 봐주십시오—.

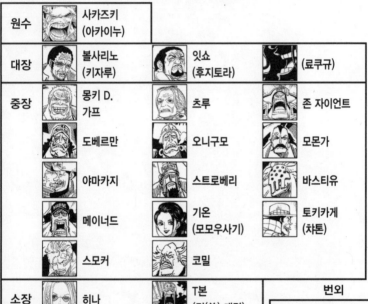

계급			
원수	사카즈키 (아카이누)		
대장	볼사리노 (키자루)	잇쇼 (후지토라)	(료쿠규)
중장	몽키 D. 가프	츠루	존 자이언트
	도베르만	오니구모	모몬가
	야마카지	스트로베리	바스티유
	메이너드	기온 (모모우사기)	토키카게 (챠톤)
	스모커	코밀	
소장	히나	T본 (전(前) 대령)	
준장	브랑뉴	야리스기	
대령	타시기	코비	
중령			
소령	헤르메포	풀보디 (전 삼등병)	쟝고 (전 삼등병)

대위 · 중위 · 소위 · 준위

상사 · 중사 · 하사

일등병 · 이등병 · 삼등병 · 잡일꾼

번외

 센고쿠
전(前) 원수 센고쿠는
현재 '감찰'로서 해병들의
지도 중.

 쿠잔 (아오키지)
전(前) 대장 아오키지는 검은
수염과 접촉했다는 소문.

 X(디에스)드레이크
(전(前) 소장)

 코라손
(전(前) 중령)

'갱 벳지'의 오 마이 패밀리 Vol.34 '잡아!! 마마가 그랬어!
우리 아빠는 몇 번을 차도 물고 늘어지는 끈덕진 남자!!'

우오오오오오오오 우오오~~~!!

쿄시로오~~~!!!

와노쿠니의
역사에 관심은
없지만…
날 배신한 죄는
무거워.

쿄시로는…
잠복했던 오뎅의
가신이었나……

……아주
얼간이지.
벗에게 속아
넘어갔다.

죄송합니다,
사사키 님.
설마 붙잡혀
계실 줄은!!

저건
빅 맘이?!

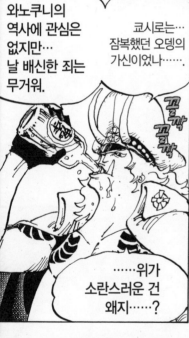

……위가
소란스러운 건
왜지……?

—그게
바깥에 닿다니
어처구니없는 파워군.
덕분에

네, 돔 안에서
한바탕
난리라서……!!

우오오오…

네!! 그건
카이도 님이……

신목이 쓰러져
살았지만……!!

이누!!
네코!!

킨에몬
⋯⋯!!

기다려!!

와아아아 아 아 아아아 아아

……
……

두

웅!!

효고로도
있다니!!

픽득

오오오

꼭 잡소리를
한다니까,
네놈은!!

이제 와서
널 탓하진
않는다.

애초에
무능태
니까.

영락없이
리더잖아.
'밀짚모자'
녀석!!

틀림없이
우동의 죄수들…!!
채굴장에서 무슨 일이
벌어진 거지?!

'토비롯포'!!

응답해라.

딸깍
딸깍

납득이
안 돼…!!

바바누키는
협박받은
건가?!

문제
없습니다!!

야마토 도련님을 붙잡아도

'대간판'에 대한 도전권은 얻지 못해…!!

우리의 '내분'도 중단이다!!

페찡이한테 어부바 받으려고 기다렸…

야마토가 벽을 올라 도망쳤으니까

할 거 같아?!!

해!!!

아!! 페찡이♡

당연하지!! 주위를 보라고, 누나.

엑?! 그런 거야?!

카이도 씨는 옥상에 있다.

누가 애송이야!!!

입 닫아, 망할 애송이들!!

너희는 각자의 수단으로 그걸 저지해라.

적은 성안을 통해 위를 목표로 올라간다.

꽈앙! 와! 푹 푹 꾹

야, 드레이크.

깔보고 덤비지 않도록.

무운을 빌겠다.

죽이고 싶은 놈을 죽이러……!!

……? 어디로 가려고.

나 혼자선 쪼금 버거워.

이 혼란은 기회야. 잠깐 따라와라.

………

너희끼리 다툼질에 날 끌어들이지 마……

마음은 안 내키는데 …….

있어 봤자 방해될 뿐이야!!

지금 전력을 줄일 셈이냐?

퀸이 있는 곳으로!!

이봐…!!!

웬 짓거리냐…!!!

너 '꽃의 도읍'에서…

네놈의 가슴에 물어 보시지!!!

그걸 묻고 싶은 건 이쪽이다. 드레이크!!

트라팔가 로를 달아나게 했지? '감시'가 있었거든.

!!!

이런 놈이 간부로 있다니 어처구니없는 수치군.

너다. 쓰레기 놈아.

과연… 죽이고 싶은 놈이란 건……!!

너밖에 없을 거라 생각은 했다. 목적은?

내 고문은 마음을 후벼파는데……?

므하하.

살해당한들 아무것도 불지 않는다…!!

여기까진가… 변명은 불가능해.

유감이지만 나는

정체가 뭐냐, 네놈!!

무슨 꿍꿍이지? 개인이냐? 조직인가?

드레이크를 쫓아!! 놈은 적이었다!!

저 자식!!!

콰아앙!!!

!!!

네에?!!

있다!!!

'희망' 이라면 아직…!!

쥬키!!

?!

거기 비켜라.

'X (엑스)'

으쩍!!

어떡한다…?! 어디로 도망치지?!

이제 해군으로 돌아갈 순 없나…?! ―아니, 그건 나중 일이고!!

'칼리버'!!!

　（가나가와현 · 하마네 씨）

D : 카이도 해적단의 간부들 이름은 트럼프 카드와 게임 명칭이죠?
　　　　　　　　　　　　　　　　　　P.N. 아키베

O : 그렇죠—. '대간판' 세 사람은 말할 것도 없고, '토비롯포' '넘버즈'
　　'신우치'까지는, 다른 곳에서 온 드레이크, 아푸, 호킨스를 제외하고
　　모두 트럼프 카드의 이름, 혹은 K, Q, J, 1~10 등의 카드 이름입니다.

후즈 후　　블랙마리아　　울티　　페이지원　　사사키　　홀덤　　바바누키

전부 거론하면 페이지가 가득 채워지겠죠. 들어본 적이 없어! 라고 반응할
게임도 많으시리라 생각합니다만, 세상에는 가지각색의 트럼프 놀이 방법이

 있답니다. 덧붙여, 드레스로자에서 도플라밍고가 '조커'라고
불렸었는데, 초기 도플라밍고는 강력한 카이도의 동료로서
와노쿠니에서 싸울 것으로 구상했던 때의 흔적입니다.
저런 성가신 적, 드레스로자에서 쓰러트려서 다행이에요!!

D : 나는 SBS 선도위원회입니다. 사나닷치는 지나치다고 생각해요.
　　그나저나 오다 쌤, 나는 오다 쌤의 수수경단이 먹고 싶어요.
　　　　　　　　　　　　　　　　　　P.N. 사나닷치의 팬

O : 아—. 제 뺨에서 나오는 거 말씀? 아니, 다박수염 나 있고
　　진짜 역겨운 거 나올 테니 관두자고. 그리고 펜네임 바꾸지?

D : 오다 선생님 질문입니다. 스마일을 먹은 사람은,
　　뿔이 자라나는군요. 그럼 왜 플레저즈는 뿔이 1개고,
　　기프터즈는 뿔이 2개인 걸까요?　P.N. 해덕 10

O : 잘 보셨군요. 그건 패션입니다!
　　규정인 것도 아니지만, 플레저즈는 1개,
　　기프터즈 이상은 2개 달아도 좋다는 그런 룰입니다.

제 991 화
'죽게 해다오!!!'

루피에게 다가서지 마라!! X·드레이크, 해적의 세계에도

인의는 있다……!!

그런 헤픈 자식을 신용할쏘냐!!!

쫓겨났으니 이쪽에 붙겠다고?!

그 입장에서 쫓겨났다!!

입 다물어, 선장!! 요 멍충아!!!

안 괜찮아!!!

괜찮아. 같은 편이 돼도.

밀짚모자 형씨!! 성안으로!!

……

저 둘을 밀짚모자 형씨한테 접근시키지 마!!!

해적들의 보스인가 보군.

저 녀석이

밀짚모자 쓴 남자!!

아까 그 녀석!!

당연한가.

124

저놈들이

크르르르...!!

쿠웅!!

'스론'들 탓에

하아.

하아.

'보로
브레스'!!!

이제 도망은
지쳤다!!
숨는 것도
지쳤다!!!

──도망쳐?
웃기지
마라!!!

무슨 속셈이냐.

'이검류'!!!

따리앙!

D : 에로 요리ㅅ… 상디의 40세, 60세에 무슨 일이 생긴 미래를 그려주세요.

P.N. 고무이글 열매

O : 네. 리퀘스트 잔뜩 받았습니다. 보십시오!

D : 오다 쌤!! 질문입니다!! 제962화 '다이묘와 가신'에서, 유년기의 이조는 칼, 키쿠는 총을 쥐고 있습니다만 현재는 정반대예요! 이에 관해서 뭔가 의도가 있으신 건가요?

P.N. 유우 군

O : 키쿠가 쥔 총은, 형 것을 들고 있었던 것뿐입니다.
저렇게 작은 컷을 용케 잘 보셨네요—.
죄인 아버지를 둔 둘은 어릴 때부터 지독한 어른에게
부려 먹히던 재주꾼으로, 가난하지만 서로를 도우면서
살아왔습니다. 재주 중 하나에 과녁 쏘기가 있고,
이조는 그야말로 백발백중의 특기. 그러나 검에는
자신이 없는 아이였습니다. 시간이 흘러 흰 수염의
배에서, 이조는 여흥의 일환으로 과녁 쏘기를 선보였는데
'화검의 비스타'가 말을 합니다. '특기 기술로 지키자구!!'
주군을 지키는 사무라이가 왜 서툰 검에 매달리는 것인가.
'사무라이'는 삶의 방식입니다.
검을 버리고, 이조는 총을 손에 쥐었습니다.

제 993 화
'와노쿠니의 꿈'

——언젠가 '코즈키 가문'의 사무라이들이

살 수 있었던 건

이 나라를 구해줄 것이다.

사실은 다들—— 마음의 버팀목으로 삼고 있었기 때문이다.

——그저 그럴싸한 전설을

159

카이도만 없었더라면…!!

젠장…!! 오로치의 뒤에

축제가 끝나면 술은 다시 1년 후인가………!!

끝나지 않으면 좋을 텐데…

오늘이

'파티
테이블'

'킥 코스'!!!

두파파

콰앙!!!

으아아
아아아.

잘도 나의
부하를!!

네
이놈,

여기는
지날 수
없다!!

빠 빡

각오해라!!!

웅호!!

백수 해적단 '신우치'
BRISCOLA
브리스콜라
고릴라 SMILE

고릴라
생겨난 게
뭔 그따위야!!

말 잘하는군!!
―― 그렇담.

우뇌 탑을 빠져나가서——

지금 야마토와 모모노스케가

야옹——…

기다려——!!

꺄아아아

물컹——!!

적의 전력은 얼추 5400!!

이쪽은 킹.

알겠다………. 바오황.

옥외로 향하고 있어요!!

그 대부분은 오뎅의 가신을 중심으로 한 사무라이들이다.

……

'모모노스케'를 죽이고 목을 가져와라!!

요컨대 이건 '쿄즈키 가문'의 '집안 부흥 소동'……!!

그러면 사무라이들의 전의도 사라진다!!!

오뎅의 아들 '쿄즈키 모모노스케'를 와노쿠니의 쇼군으로 만들길 원하지!!

167

백수 해적단
'장갑부대'

코즈키 오뎅의 그림자를 봤다…

삐틀…

하아……. 하아…….

——딱히 죽어줘도 상관은 없었다.

살려 줘요, 아버님.

상처가 욱신거릴 때마다………

그런 괴물 사무라이는 이제 나타나지 않아…!!!

오뎅이 아니었어……….

——하지만 너희는 역시

!!

ㅋㅋㅋㅋㅋ

생각이 나거든…!!

172

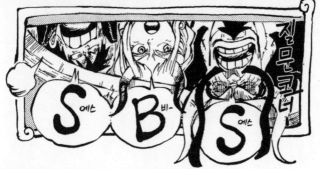

(미국 Rosnad 씨)

D : 혹시 조로, 나미, 우솝, 상디와 프랑키가 능력자가 된다면,
각자 어떤 열매를 먹을 것 같습니까? P.N. 420랜드

O : 오호라, 재밌는 질문이네요. 그러게요, 제가 보고 싶은 건...

물고기물고기 열매 환수종 모델 '청룡(靑龍)'	번개번개 열매 (번개 인간)	포켓포켓 열매 (몸에 무한정의 주머니)	헤엄헤엄 열매	무기무기 열매
조로보다도 칼이 용이 되는 건 어떨까요. 무진장 멋질 거 같은데.	날씨 누님, 아주 최강이 될 거 같네요. (루피 이외)	장치하기 좋아하는 우솝에게 최적인 주머니.	벽을 통과하는 것도, 땅바닥에서 헤엄 치기도 가능. 상디에게 가면 위험한 능력.	프랑키에게 있어서 더할 나위 없는 능력.

D : 971화에서 모모노스케의 기미를 행하는 가신 말인데, 960화에서 오뎅의 악행을
스키야키에게 보고하는 가신과 같은 사람이죠?
대대로 코즈키 가문을 지탱해주었던 거군요….
문뜩 알아차린 그때, 눈물이 나왔습니다. P.N. 히노쿠마 (日隈)

O : 네. 맞습니다—. 이름은 '반자부로 (番三郎)'라고 하고,
어린 시절 스키야키에게 거두어져 대단한 은혜를 느끼는
사무라이입니다.

D : 묻고 싶은 질문 → 「Leave or Life？」 펜네임 네기보우즈

O : 무서워 무서워!!ℤ 엑—?! 수명(Life) 안 줄 거야! 떠날래(Leave)!
떠날게요!! 그럼 SBS 여기까지! 다음 권에서 또 봐요 〜〜!! 대시(Dash)!!

제 994 화
'다른 이름은 야마토'

'갱' 벳지의 오 마이 패밀리 최종화 '축포에 흔들리며 행복의 배는 나아간다'

옥상에서 벗어나!!

네!!

치이익!!

우!!

꽈악!!

화즉!!

하아… 하아….

설 수 있겠나, 키쿠노죠.

물론입니다.

치이익…!!

죽음은
사람의
완성이다
……!!!

그렇지?

큐오오오오

끝장을
볼까……!!!

두웅!!!

179

네놈에게
당하는 건
자랑거리가
안 돼!!!

우쭐하지
마라,
카이도.

오니는 적이고 자시고 무차별적으로 덮쳐 온다.

와아아아아아아아!!

단단히 미쳤어!! 퀸 자식!!

이대로 동지를 다치게 할 바에는 그냥 지금….

죄송합니다. 효고로 두목!!

오오마사 두목이 감염됐어.

효고로 두목!!

서두르지 마라. 멍청한 것!!

183

내가 베어주마!! 자결은 안 돼!!

고칠 방도가 있을 거다!! 이도저도 안 될 때는

오니 같은 거 되기 싫어.

마지막에 파악 안아줘라!! 옮겠지만!! 롸~~~하하.

지금이 인생 최고로 팔팔할 때일지도 모르겠는걸!!

그만둬~~~~!!

꼬아아악.

186

이봐, 문 열어어~~~~~!!!

난 이 플로어는 사양할랜다!!

또 취미 한번 고약한 신병기를 만들었군!!

뺏기면 참살형이다, 너......!!

아— '빙귀'의...

이 세상에서 유일한 '항체'다.

엉?

흑

어이, 브라더 아퓨!!

뭐?

뭐야, 이건......

야마토 도련님!!

그놈들을 데리고 달아날 성 싶으신지?!

돔 안 우뇌탑——

그 꼬마만 죽이면 임무 완료야.

우리는……

……

자네는 대체…

나는 20년 전!! 코즈키 오뎅의 처형을 봤어!!

?!

당신도 구할 거야!! 시노부 씨.

같은 편이라면… 모모노스케 님을 부디……

누군지 모르겠지만 ……!!

CHAMP COMICS

원피스 98

2023년 11월 23일 초판 인쇄
2023년 11월 30일 초판 발행

저자 : EIICHIRO ODA
역자 : 길명
발 행 인 : 황민호
콘텐츠1사업본부장 : 이봉석
책임편집 : 조동빈 /정은경
발행처 : 대원씨아이(주)

ISBN 979-11-6894-544-9 07830
ISBN 979-11-362-8747-2 (세트)

서울특별시 용산구 한강대로 15길 9-12
전화 : 2071-2000 FAX : 797-1023
1992년 5월 11일 등록 제1992-000026호

● Korean edition, for distribution and sale in Republic of Korea only.
● 이 책의 유통판매 지역은 한국에 한합니다.
● 잘못 만들어진 책은 구입하신 곳에서 바꾸어 드립니다.
● 문의 : 영업 (02)2071-2074 / 편집 (02)2071-2027

www.dwci.co.kr